GRZEGORZ KASDEPKE

BODZIO i PULPET

zilustrował Daniel de Latour

NASZA KSIĘGARNIA

Drodzy Czytelnicy!

Zawsze chciałem napisać fantastyczną książkę fantastyczną. Nie poprawiajcie poprzedniego zdania – miało dokładnie tak brzmieć. Choć, owszem, mogłem to samo przekazać zupełnie inaczej. Na przykład: zawsze chciałem napisać książkę o ufoludkach, którą by się fantastycznie czytało. Lepiej? Może i tak – ale na pewno nie śmieszniej. A *Bodzio i Pulpet* to książka zabawna. Uspokoję tych wszystkich, którzy nie przepadają za ufoludkami – pojawiają się oni tylko w kilku historiach. Mam jednak nadzieję, że także te opowiadania, które nie są fantastyczne, będzie się fantastycznie czytało.

Dobrej zabawy!

Autor

Zielony na CZERWONYM

Nikt nie był szczególnie zdziwiony, że to właśnie Bodzio spotkał Obcego – Bodziowi takie historie przydarzają się non stop. Dziwił tylko powód, dla którego Obcy znalazł się na warszawskiej Chomiczówce.

– Chyba żartujesz? – wykrztusił Pulpet. – Dlaczego masz go uczyć poruszania się po mieście?

– Nie wiem, podobno to jego praca domowa – zdenerwował się Bodzio. – I nie mów o nim Obcy, nie znosi tego.

– A jak on ma na imię? – chciał wiedzieć Pulpet.

– Jakoś bez sensu – oznajmił Bodzio. – Ale przyjaciele wołają na niego Cirli.

– Cirli – westchnął Pulpet. – Głupie imię jak dla kogoś, kto przypomina paprotkę.

Co prawda, to prawda. Cirli do złudzenia przypominał paprotkę. Nawet jego spodnie od kombinezonu wyglądały jak gliniana doniczka.

– Dobra, Cirli – powiedział Pulpet. – Zaczynamy lekcję. Widzisz ten budynek za nami? To szkoła. Droga z domu do szkoły jest długa i nieprzyjemna. Droga ze szkoły do domu jest krótka i radosna. Powtórz!

– Ciii! – syknął Bodzio. – Zwariowałeś? Nie tutaj! Chcesz, żeby ludzie zobaczyli, że gadamy z paprotką?!

– Przecież to Obcy, a nie paprotka – bronił się Pulpet.

– A jak to udowodnisz? – zasapał Bodzio. – Każesz mu wystrzelać wszystkich laserem?

Pulpet zerknął na wyglądającą przez okno panią dyrektor i wyraźnie się zawahał. Na szczęście trwało to tylko chwilę.

– W porządku – westchnął. – Idziemy na przejście dla pieszych.

Minutę później zamiatający chodnik dozorca przecierał oczy ze zdumienia.

– Patrzysz w lewo – tłumaczył Bodzio stojącej obok paprotce. – Potem w prawo, potem jeszcze raz w lewo i jeżeli nic nie jedzie, to przechodzisz przez jezdnię. – I zademonstrował, jak należy to zrobić.

– Teraz ty – zakomenderował Pulpet.

Ale Cirli nie ruszył się z miejsca.

– Zabierzmy go na przejście ze światłami! – zawołał z przeciwległego chodnika Bodzio. – Powinien zapamiętać: zielone – idziemy, czerwone – stoimy!

– Musicie bawić się przy ulicy? – rzucił dozorca, odstawiając miotłę. – Ten pan za rogiem to wasz opiekun?

Od strony sklepu zbliżał się mężczyzna z dużą palmą w ozdobnej donicy.

– Ty, to chyba jego nauczycielka! – wykrztusił Pulpet, zerkając na zmartwiałą paprotkę. – Lepiej zmykajmy! Bo jak nie, to pała murowana!

– Słyszeliście, o co pytałem? – wycedził dozorca.

– Przepraszam, ale nie możemy rozmawiać z obcymi – wyjaśnił Pulpet.

– Przynajmniej z takimi przez małe „o" – dopowiedział Bodzio.

A potem chwycili Cirliego i raz-dwa czmychnęli za szkołę.

AKCJA BRUDZENIE ŚWIATA!

Bądźmy szczerzy, sprzątanie nie jest ulubionym zajęciem mężczyzny, a już na pewno nie mężczyzny kilkuletniego. Dlatego radość, z jaką Bodzio i Pulpet zareagowali na wieść o akcji Sprzątanie Świata, wydała się pani Troć co najmniej podejrzana. Entuzjazm ich osłabł dopiero wtedy, gdy na szkolnym apelu pani dyrektor obwieściła, że klasa Bodzia i Pulpeta będzie porządkowała park, ten między kościołem a boiskiem, przy strumyku. Park, który można opisać czterema słowami: trawa, ławka, ścieżka, krzaczek. Na dodatek miało się to odbyć nie w czasie lekcji, lecz w sobotę. Z rana!

– Skandal! – zasapał Pulpet. – W sobotę na śniadanie mama robi pyszną jajecznicę!

– Skandal! – zgodził się Bodzio. – My musimy łazić po skwerku, a ci z klasy „c" będą ganiali po boisku!

– Ale nie za piłką, tylko za śmieciami – uspokoiła go pani Troć. – Poza tym klasa, która uzbiera najwięcej worków śmieci, pójdzie w nagrodę do kina.

Było to jakieś pocieszenie. Choć niewielkie, jak się okazało w sobotni poranek. Pod jedyną ławką w parku leżały trzy puszki po piwie i dwie butelki po jakichś tajemniczych trunkach. Za krzaczkiem powiewała gazeta. Gdzieniegdzie w trawie połyskiwały kapsle, ścieżkę zaś czyjaś litościwa ręka ozdobiła niedopałkami papierosów. Wszystko to jednak było stanowczo za mało. Szczególnie jeśli klasa Bodzia i Pulpeta chciała na poważnie myśleć o zwycięstwie.

– A strumyk? – zapytał z nadzieją Bodzio.

Zwykle jego dno i brzegi były usiane kartonami po napojach oraz plastikowymi torebkami. Tym jednak razem w strumyku pluskało się więcej kaczek niż śmieci.

– No to klops – oświadczył Pulpet.

Ale Bodzio nie tracił nadziei.

– Przecież możemy zebrać trochę śmieci z boiska – zaproponował. – Tylko trzeba się śpieszyć, żeby ceklasiści nas nie nakryli...

– To nieuczciwe – zaoponował Pulpet.

– Jak to nieuczciwe? – zdenerwował się Bodzio. –
A kto mi zabroni podnieść puszkę, którą sam wczoraj
kopnąłem do bramki?!

Pulpet powędrował wzrokiem w stronę boiska.
Rzeczywiście, jakby się tak dobrze zastanowić, to po-
łowa leżących tam śmieci należała do Bodzia. W tym
momencie jednak zza pobliskiego bloku wyłoniła się

maszerująca w parach klasa „c" – i na sprzątanie ich terenu było już za późno.

– A co sprzątają ci z „a"? – zapytał zrezygnowany Bodzio.

– Okolice McDonalda – powiedział rozmarzony Pulpet. – Mnóstwo zatłuszczonych śmieci...

Jednym słowem szanse na zwycięstwo zmalały niemal do zera. Chyba że...

– Mam pomysł! – krzyknął Bodzio. – Tylko trzeba działać szybko, zanim przyjdzie nasza pani!

Pulpet i pozostali uczniowie z klasy „b" spojrzeli na Bodzia z nadzieją.

– Zrobimy tak... – zaczął Bodzio. A potem szeptem wyjawił swój plan.

Gdyby pani Troć przyszła na miejsce zbiórki punktualnie, nie zastałaby tam nikogo. Gdyby przyszła pięć minut po czasie, zobaczyłaby, jak jej uczniowie wybiegają z klatek pobliskiego bloku – każdy z wypchaną plastikową torbą na plecach. Gdyby spóźniła się dziesięć minut, ujrzałaby akcję Opróżnianie Toreb. Na szczęście pani Troć zaspała i teraz, kwadrans po umówionym czasie, truchtała od strony przystanku, próbując wymyślić jakieś wiarygodne usprawiedliwienie. Nagle jednak stanęła jak wryta i wytrzeszczyła oczy, widząc, co dzieje się w parku.

– Okropne, prawda? – ucieszył się na jej widok Bodzio. – Bałagan, że aż strach.

Trudno było temu zaprzeczyć.

– Zwyciężymy – zapewnił Pulpet. – A jakby co, to pójdziemy do drugiego bloku po śmieci.

– Chłopcy – wykrztusiła wreszcie pani Troć – przecież to miało być Sprzątanie Świata, a nie jego brudzenie...

– Żeby posprzątać, trzeba najpierw pobrudzić – zauważył filozoficznie Bodzio.

– A żeby pobrudzić, trzeba się natrudzić – dokończył Pulpet.

I z zapałem zabrali się do roboty.

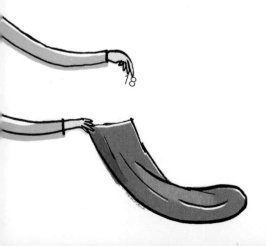

Koncert

Bateryjka, dwa druty, stara lampa od roweru, gwóźdź, płyta CD – i już można skonstruować urządzenie nawiązujące kontakt z Obcymi! W każdym razie Bodziowi udała się ta sztuka. Podczas lekcji. Niechcący. Pod ławką. Tuż przed wizytą muzyków z Bielańskiej Orkiestry Dętej.

– Działa? – zapytał podejrzliwie Pulpet.

Urządzenie wydawało dziwne dźwięki, na szczęście ciche, i siedząca za biurkiem pani Troć niczego nie usłyszała.

– Działa... – wykrztusił Bodzio. – Wysłałem komunikat: „Uczniowie z warszawskiej Chomiczówki pozdrawiają kosmitów"!

– Czy wy mnie w ogóle słuchacie? – zapytała pani Troć, przystając obok ławki naszych bohaterów.

Pulpet i Bodzio spojrzeli na nią półprzytomnym wzrokiem. Urządzenie zaczęło nagle posapywać i skrzypieć – zupełnie jakby wstąpił w nie duch starej lokomotywy.

– Bez wygłupów! – syknęła pani Troć. – Zostawcie to coś, idziemy na koncert.

Bodzio wolał jednak nie rozstawać się ze swoim wynalazkiem. Schował go pod bluzą i z westchnieniem ruszył do sali gimnastycznej. Było tu tłoczno i hałaśliwie. Pani dyrektor miotała się między szeregami uczniów, próbując wyłapać najgłośniejszych melomanów. Muzycy siedzieli pod drabinkami z takimi minami, jak gdyby chcieli czmychnąć.

– Wyłącz to – szepnął Pulpet.

– Jak?! – zirytował się Bodzio. – Zamontowałem tylko włącznik. O wyłączniku zapomniałem.

– Proszę o ciszę, zaczynamy! – krzyknęła pani dyrektor. – Dzisiaj wysłuchamy kolejnego koncertu z cyklu...

I w tym właśnie momencie do sali wkroczyli Obcy.

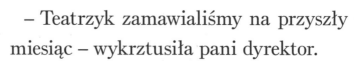

– Teatrzyk zamawialiśmy na przyszły miesiąc – wykrztusiła pani dyrektor.

Obcy kaszlnęli, ziewnęli, pomachali mackami, zrobili „tup, tup, tup" i zastygli w oczekiwaniu na odpowiedź.

– To oznacza: „Witajcie, dwunożni, przybywamy zza księżyców" – wytłumaczył Bodzio, przystawiwszy ucho do urządzenia.

Pulpet chciał o coś zapytać, ale jeden z muzyków nie wytrzymał napięcia – chwycił trzymaną na kolanach trąbę i rozpaczliwie w nią zadął. Przyniosło to nieoczekiwane efekty.

– „Witajcie, kosmici – przetłumaczył zdziwiony Bodzio. – Jesteśmy orkiestrą z Bielańskiego Domu Kultury".

Obcy chrząknęli, pochrumkali, podskoczyli i rozpłaszczyli się na parkiecie.

– Spytali, czy mogą prosić o autografy – wyjaśnił Bodzio.

Słowa Bodzia dotarły do muzyków. Spojrzeli po sobie niepewnie. A potem klarnecista zadął zachęcająco. I nagle do sali wkroczył policjant.

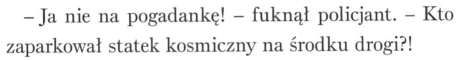

– Zaraz, zaraz... – Pani dyrektor zamrugała. – Pogadankę z policjantem już mieliśmy.

– Ja nie na pogadankę! – fuknął policjant. – Kto zaparkował statek kosmiczny na środku drogi?!

Obcy spojrzeli pytająco na muzyków. Puzonista przełożył słowa policjanta na serię pohukiwań i pisków.

„Szuru-szuru, bęc!" – brzmiała odpowiedź.

– „Przepraszamy – mamrotał Bodzio z uchem przy urządzeniu. – Nie było miejsca. Wpadniemy kiedy indziej, pa!".

I wyszli.

– Możemy zaczynać?! – jęknęła pani dyrektor. – Zapraszamy na koncert z cyklu *Muzyka językiem zrozumiałym dla wszystkich...*

Po czym zemdlała.

ZAJĘCIA POZALEKCYJNE

Nie każdy jest wysportowany, ale każdy chce na takiego wyglądać – dlatego gdy rozległ się gwizdek na zbiórkę, wszyscy wciągnęli brzuchy.

– Długo mamy tak wytrzymać? – stęknął po chwili pluszowy miś. Bo też niełatwo jest wciągać brzuch wypchany watą i trocinami.

– Dopóki Bodzio nie zarządzi rozgrzewki – szepnął robot. – Wszystko przez szkołę.

Co prawda, to prawda. Odkąd Bodzio poszedł do szkoły, nieustannie urządzał swoim zabawkom zajęcia pozalekcyjne. Najgorsza była gimnastyka.

– Będziemy robili skłony? – zapytała lalka Barbie, mizdrząc się do Bodzia jak zwykle.

Robot i miś spojrzeli na nią ponuro. Skłony, dobre sobie. Po ostatnich zajęciach misiowi rozpruło się coś na pupie, a robot o mało nie zgubił połowy śrubek.

– Nie – uspokoił ich Bodzio. – Dzisiaj porozmawiamy o zdrowym jedzeniu.

– O diecie, cudownie! – Barbie klasnęła w ręce.

– Ale o zdrowej diecie. – Bodzio skarcił ją wzrokiem. – Ty nic nie jesz i dlatego jesteś za chuda.

Barbie osłupiała.

– Jak to: za chuda? – wykrztusiła wreszcie.

– Tak to. – Bodzio wzruszył ramionami. – Normalna zdrowa dziewczyna wygląda inaczej. Bierz przykład z misia.

Tym razem osłupiał miś.

– Ze mnie? – stęknął.

– Okrąglutki, z apetytem – kontynuował Bodzio. – Przydałoby mu się tylko trochę ruchu.

– Ciągle coś przeżuwam – zauważył miś.

– To za mało! – Bodzio się roześmiał. – Ale na początek może wystarczy!

ROWER
wujka
Leona

Porządny rower powinien mieć kierownicę, dwa koła i siodełko – ale choć rower Bodzia spełniał te warunki, trudno go było nazwać porządnym.

– Sam go zmontowałeś? – zapytał Pulpet, pomagając przyjacielowi wstać z ziemi.

– Z wujkiem Leonem – zasapał Bodzio. – Wujek ma hopla na punkcie rowerów. Powiedział, że kupić to żadna sztuka, prawdziwy cyklista powinien złożyć swój rower sam.

Pulpet drapał się przez chwilę po brzuchu, niepewny, czy powinien spytać, co znaczy słowo „cyklista", czy też może lepiej nie zdradzać się przed Bodziem ze swoją niewiedzą. Eee, może lepiej nie... Tak na logikę biorąc, cyklista to pewnie jakiś fan rowerów. Ktoś taki jak wujek Bodzia – wiecznie spocony sympatyczny brodacz, którego znakiem rozpoznawczym są podwinięte nogawki spodni i rozpłaszczone muchy na okularach.

– A skąd wzięliście części? – Pulpet spojrzał z ciekawością na leżący przed nimi pojazd.

– Wujek Leon skądś je przytargał – wyjaśnił Bodzio. – Podobno same markowe, świetnej jakości, z różnych sportowych modeli. To miał być najszybszy rower na Bielanach.

Pulpet chrząknął. Może i najszybszy. Pytanie, jak to sprawdzić. Każdy, kto wskakiwał na siodełko, po kilku sekundach lądował na ziemi. Zupełnie jakby to był dziki nieujeżdżony rumak!

– Czemu nie dokręcisz sobie z tyłu takich dwóch kółeczek? – Pulpet nie mógł powstrzymać się od złośliwości. Zwykle to on był obiektem kpin i żartów.

– Sam sobie dokręć kółeczka! – zdenerwował się Bodzio. – Do brzucha!

– Jak chcesz. – Pulpet udał, że nie czuje się dotknięty, a potem wskoczył na siodełko swojego górala. – Jadę do Lasku Bielańskiego.

– No a ja?! – zaskomlał Bodzio. – Mam tu się przewracać cały dzień?

„Czemu nie?" – pomyślał Pulpet. Ale po chwili dopadły go wyrzuty sumienia. Bo Bodzio to jednak przyjaciel. A tylko ostatnia wieprzowina zostawia przyjaciela w potrzebie.

– No dobra – westchnął Pulpet, zawracając. – Poprośmy o pomoc pana Antosia.

Pan Antoś, znany wszystkim jako złota rączka, w rzeczywistości miał rączki szaroczarne, poplamione jakimiś smarami, mazidłami i czymś bliżej nieokreślonym. Widok roweru Bodzia wprawił go w znakomity humor.

– A cóż to za wynalazek? – zarechotał. – Skrzyżowanie hulajnogi z kanapą?

– Terenowa wyścigówka – odpowiedział z godnością Bodzio.

– Nowe dzieło twego wujka? – chciał wiedzieć pan Antoś. – Tego szurniętego na punkcie dwóch kółek?

– Tego samego – przyznał Bodzio.

Pan Antoś nie musiał pytać o nic więcej. Z rowerami zmontowanymi przez wujka Leona miał do czynienia co najmniej raz w tygodniu. Udzielenie pomocy tym razem okazało się niezbyt trudne.

– Już – powiedział po minucie. – Wskakuj!

– Co było nie tak? – zapytał Bodzio, ostrożnie kręcąc pedałami.

– Jak na twego wujka, to drobiazg. – Pan Antoś wzruszył ramionami. – Tam, gdzie powinno być siodełko, zamontował kierownicę, a w miejscu kierownicy – siodełko.

– A ja myślałem, że on jest po prostu nieujeżdżony – westchnął Bodzio.

– Ja też – przyznał Pulpet.

A potem pognali przed siebie!

Pani Troć, wychowawczyni Bodzia i Pulpeta, zachowała się, zdaniem chłopców, okropnie. Kazała im posprzątać całą klasę, chociaż naśmiecili tylko wokół własnej ławki.

– Ale przez to, że w tym jednym miejscu jest brudno – powiedziała ze spokojem pani Troć – cała klasa wygląda nieporządnie.

Co prawda, to prawda.

– Masz jakiś pomysł? – zapytał pół godziny później Pulpet.

Siedzieli nieruchomo w opustoszałej cichej klasie, patrząc na porozrzucane po podłodze śmieci – a za oknem chłopaki grały w piłkę!

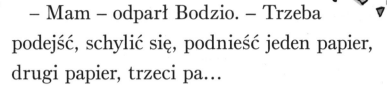

– Mam – odparł Bodzio. – Trzeba podejść, schylić się, podnieść jeden papier, drugi papier, trzeci pa...

– Taki pomysł to żaden pomysł! – wrzasnął Pulpet. – Wymyśl, jak to zrobić, żeby się nie narobić!

Ba!

Po chwili jednak Bodzio przypomniał sobie, że istotami, które dość chętnie wyręczają ludzi w pracy, są krasnoludki. Co prawda znał je tylko z bajek, ale...

– Nie chcesz chyba szukać teraz krasnoludków?! – zirytował się Pulpet.

– A dlaczego nie? – zdziwił się Bodzio. – To może być niezła zabawa.

Kwadrans później, przeczołgawszy się po całej klasie, doszli do wniosku, że istotnie, była to niezła zabawa, jednak zgodnie z przewidywaniami nie trafili na ślad żadnego krasnoludka.

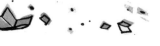

– Ale za szafą jest dziura w ścianie – przypomniał sobie Pulpet. – Może przynajmniej tam mieszkają myszy?

Obydwaj pamiętali z niektórych bajek, że myszy bywają skore do pomocy.

Pobiegli do szkolnego sklepiku, kupili chipsy serowe, a potem zaczęli nimi wabić myszy. Niestety, zwabili jedynie kłęby kurzu.

– A pamiętasz Kopciuszka?! – Bodzio aż podskoczył. – Pomagały mu wróble. Wróble albo jakieś inne ptaki.

Pobiegli więc do stołówki, wyprosili kilka kromek chleba od pań kucharek – i zaczęli wabić ptaki. Nie

pomogło jednak ani sypanie okruchów na parapet,
ani zachęcające machanie rękami.

– Zróbmy to siłą woli – zaproponował Bodzio, patrząc na sterty śmieci wokół ławki. – Użyjmy mocy!

Kolejne pięć minut zajęło chłopcom nieruchome
wgapianie się w bałagan. Bałagan wyszedł z tej po-
tyczki zwycięsko.

– No to musimy wezwać na pomoc kosmitów! – jęknął zrezygnowany Pulpet.

Ściągnęli z szafek wszystkie stojące tam przedmio-
ty, a potem – wykorzystując globus, druty, zeschnięte
kasztanowe ludki, probówki i inne pomoce naukowe –

zaczęli montować urządzenie do kontaktu z Obcymi. Po kwadransie było gotowe.

– Działa? – zaciekawił się Pulpet.

– Na pewno – uspokoił go Bodzio. – Nie słyszysz?

Rzeczywiście, coś było słychać. Za drzwiami. Chłopcy przełknęli ślinę…

– Jeszcze nie posprzątane?… – jęknęła pani Troć, zajrzawszy do klasy. – Gdybyście poświęcali pracy tyle energii, ile zabawie, mielibyście same szóstki!

Bodzio i Pulpet patrzyli na nią szeroko otwartymi oczami. Co za szok – pani Troć to kosmitka!

MOJE podwórko, MÓJ wszechświat!

Trudno powiedzieć, dlaczego to właśnie Bodzio i Pulpet tak często spotykają kosmitów – może mają szczęście, a może po prostu są dobrymi obserwatorami. Tym razem jakiś nieszczęsny turysta z kosmosu zakleszczył się między trzepakiem a śmietnikiem i wyglądało na to, że bez czyjejś pomocy zostanie tu już na zawsze.

– Grubas, no nie? – zauważył z podziwem Bodzio. – Nawet ty wyglądasz przy nim na chudzinę.

– Chciałbym przede wszystkim wiedzieć – zasapał Pulpet – co on robi na moim podwórku?!

– To także moje podwórko – przypomniał Bodzio.

– No to w moim mieście.

– To także moje miasto.

41

– W moim kraju!

– To i mój kraj!

– W mojej Europie!

– To i moja Europa!

– Na mojej planecie!

– To i moja planeta!

– W moim wszechświecie!!!

– To i mój wszechświat!!!

Bodzio i Pulpet zgromili się wzrokiem. Wydawało się, że zaraz dojdzie do bitki, ale wtedy właśnie odezwał się kosmita:

– No, no! – powiedział karcąco. – To także mój wszechświat. I nie życzę tu sobie żadnych awantur!

HANDEL ŻYWYM TOWAREM

Pani Troć, wychowawczyni Bodzia i Pulpeta, obudziła się z nieprzyjemnym uczuciem, że czeka ją trudny dzień. Nie umiała wytłumaczyć sobie dlaczego. Leżała w łóżku, zerkając na okno oblepione topniejącym śniegiem, i walczyła z pokusą udawania chorej. Zakasłała nawet na próbę, a potem pociągnęła nosem. Niestety, zabrzmiało to nieprzekonująco. Była zdrowa jak rydz. Skarciła się więc za głupie pomysły i zagroziła, że zaraz sama sobie nie pozwoli kupić sukienki. Poskutkowało. Czterdzieści minut później maszerowała w stronę szkoły, udając, że ma dobry nastrój. I że nie denerwują jej chłód, chlapa oraz chmura, która zaczepiła szarym brzuchem o dachy piętnastopiętrowców.

Grudzień na Chomiczówce. Jeszcze trzy tygodnie i nadejdą święta.

Wcześniej jednak nadeszły kłopoty. A raczej nadjechały – zaparkowanym przed szkołą policyjnym samochodem.

– Gdzie Bodzio, Pulpet i reszta? – zapytała pani Troć, wbiegając do klasy.

– U pani dyrektor – odparła Marcelinka.

– A ty?

– A ja się spóźniłam – wytłumaczyła Marcelinka. – Tak jak i pani.

W dyrektorskim gabinecie było tłoczno; oprócz niemal całej klasy „b" wcisnęli się tu niektórzy nauczyciele, a teraz, wciągnąwszy brzuch, wciskał się

także okrąglutki policjant, porucznik Dryl – dobrze znany z pogadanek o bezpieczeństwie.

– Handel ludźmi... – Pan od wuefu z niedowierzaniem pokręcił głową. – W naszych czasach? Niebywałe.

– Bez przesady – zasapał porucznik Dryl. – Nie mówimy o kupowaniu niewolników. Ale trzeba to wyjaśnić. W końcu chodzi o uczniów. I o szkolną stronę internetową. Wydrukowałem kilka ogłoszeń. – Potrząsnął trzymanymi w dłoni papierami, a potem zaczął czytać: – „Wymienię Wielką Siostrę na Sprężystego", „Sprzedam Opętaną", „Kto chce Tańczącego z Liczbami?"...

Wzrok wszystkich skupił się na Bodziu i Pulpecie.

– To nie my!

– Zawsze tak mówicie – westchnęła pani dyrektor. – Przynajmniej wytłumaczcie, o co chodzi.

– Proszę bardzo. – Bodzio wzruszył ramionami. – Przed mikołajkami losujemy, kto komu kupuje prezent. A potem wymieniamy się losami, bo, przykładowo, niektórzy chcą dać prezent Pulpetowi, a wylosowali mnie.

– O Pulpecie nie ma tu ani słowa – wtrącił porucznik Dryl, przeglądając wydruki.

– Bo to nie my, mówiłem.

Zaległa cisza.

– Kim jest Wielka Siostra? – zapytała nagle pani dyrektor.

Nauczyciele poruszyli się niespokojnie.

– A Tańczący z Liczbami? – chciał wiedzieć pan od matematyki.

– I Sprężysty? – Pan od wuefu rozejrzał się z niepokojem.

– Nie przy dzieciach! – jęknęła pani Troć.

– Dlaczego? – zdziwił się porucznik Dryl.

– Bo nauczyciele także robią takie losowania…

UFOBALWAN

Bodzio patrzył podejrzliwie w niebo. Płatki śniegu wpadały mu w oczy, topniały na zaczerwienionych od mrozu policzkach, wciskały się pod niedbale zamotany szalik – a mimo to Bodzio nie przerywał obserwacji. Stojący obok Pulpet westchnął ciężko i zerknął na boisko szkolne. Bramki tonęły do połowy wysokości w zaspach. Ławeczka, na której zwykł siadać Sprężysty, pan od wuefu, kryła się pod białą poduchą. Było zimno, a co gorsza, zaczynało wiać.

– Długo jeszcze? – odezwał się Pulpet.

– Ciii… – Bodzio przyłożył palec do ust, zmrużył załzawione oczy i popatrzył ponad dach szkoły.

– Ale na co czekamy?

– Na nich.

Pulpetem wstrząsnęły dreszcze. Po chwili zaczął szczękać zębami.

– Przestań! – syknął Bodzio.

– Zimno...

– Spłoszysz ich!

– Kogo? – Pulpet poczuł, że gdyby nie czapka, włosy zjeżyłyby mu się na głowie.

– Nie wiem – szepnął Bodzio. – Ale ten śnieg jest jakiś taki... podejrzany.

Pulpet wytrzeszczył oczy. Podejrzany? Śnieg jak śnieg. Biały i zimny. Wystawił język. Smak śnieżynek także nie był inny niż zwykle. Bodzio upierał się jednak, że zadymka nad Chomiczówką nie zaczęła się ot tak, bez powodu. Najpewniej wywołali ją Obcy!

– Jacy obcy? – Pulpet rozejrzał się trwożnie. Od strony szkoły nie dochodził nawet szmer; okna większości klas były już ciemne, pani sprzątaczka szła właśnie korytarzem na pierwszym piętrze. Spóźnieni rodzice parkowali przy ulicy Aspekt i śpieszyli do świetlicy. Księżyc na chwilę umknął ciemnym chmurom – zaraz go jednak dopadły i starły na wirujący biały pył. Zepsuta latarnia migotała, bzycząc nieprzyjemnie. Po murach sali gimnastycznej biegały rozedrgane cienie dziwnych stworzeń.

– Jacy obcy? – powtórzył Pulpet. – Ci sami, co zwykle? Znam ich?

– Gdybyś ich znał, to już by nie byli obcy! – prychnął Bodzio. – Obcy Obcy! Z odległego kosmosu!

Pulpet odruchowo spojrzał w górę. Płatek śniegu zawirował i usiadł mu na nosie.

– Skąd wiesz? – stęknął. – Że przylecą?

– Nie wiem, mam przeczucie. – Bodzio wzruszył ramionami. – Może zresztą już przylecieli?

Biały tuman oślepił ich na moment. I nagle przyszła im do głowy ta sama myśl!

– S-sądzisz? – wyjąkał Pulpet.

– Dziwne, co? – wymamrotał Bodzio.

Rozejrzeli się dookoła w zdumieniu. A potem bez słowa zaczęli lepić bałwana. Wyszedł im jakiś taki... krzywy.

– Mówiłem! – Bodzio spojrzał triumfalnie na Pulpeta. – Z tym śniegiem jest coś nie tak!

– A może trzeba było bardziej się postarać?... – mruknął powątpiewająco Pulpet.

Bodzio zgromił go wzrokiem. Zamilkli.

Pół godziny później – zmarznięci i znudzeni – zrezygnowali z bacznego wpatrywania się w swoje dzieło.

– Szkoda... – westchnął zawiedziony Bodzio. – To byłoby odkrycie! Obcy od lat pojawiający się na Ziemi jako zwykłe płatki śniegu!

– Śnieżne ufoludki – podsunął Pulpet, ruszając w stronę bramy.

– Ufobałwany – sprostował Bodzio, doganiając kolegę.

Bałwan odczekał, aż znikną za rogiem. Potem przeciągnął się, zagulgotał i poczłapał w stronę boiska. Otrzepał ze śniegu ławeczkę i usiadł na niej ciężko.

Co za upał!

Jak można żyć tak blisko Słońca?!

A fe takie ferie!

Im więcej jest śniegu, tym szybciej czas płynie – do takiego wniosku doszedł Pulpet po powrocie z ferii zimowych. Bodzio podzielał jego zdanie. Kto wie, czy ferie zimowe nie powinny przypadać wiosną? Po stopnieniu zasp i wszystkiego, czym da się natrzeć uszy kolegi? Wprawdzie nie byłyby aż tak fajne, ale też nie mijałyby w wariackim tempie.

– Albo zróbmy je latem – zaproponował Bodzio. – Połączmy ferie z wakacjami, i już. Prawie trzy miesiące luzu!

– Oj, nie wiem, czy to dobry pomysł... – Pani Troć, wychowawczyni Bodzia i Pulpeta, popatrzyła na nich z rozbawieniem. – Nie tęsknilibyście do sportów zimowych?

– Może troszeczkę.

– Sami widzicie... – Pani Troć pokiwała głową. – A tak mogliście się wyszaleć na śniegu. Teraz jesteście pewnie wypoczęci, pełni energii... Aż miło popatrzyć.

Bodzio i Pulpet chrząknęli lekko zmieszani. Przez klasę przetoczył się chichot.

– No właśnie. – Pani Troć z zadowoleniem rozsiadła się za biurkiem. – Kto mi opowie o swoich feriach? Może ktoś widział coś interesującego? Może ktoś pobił jakiś sportowy rekord?

55

Spośród prawie trzydziestu osób tylko dwie nie podniosły rąk: Bodzio i Pulpet.

– Jak to, chłopcy? – zdziwiła się pani Troć. – Nie uprawialiście żadnych sportów?

– Uprawialiśmy – bąknął Pulpet.

– Jakie? – chciała wiedzieć wychowawczyni.

– Na przykład slalom – wyjaśnił Pulpet. – Na początku ciągle wypadałem z trasy, ale potem szło mi coraz lepiej, a na końcu zjechałem nawet z bardzo stromej góry i pobiłem rekord!

– Brawo! – zakrzyknęła pani Troć. – Czyli powiedzenie „trening czyni mistrza" jest prawdziwe, tak?

Pulpet zerknął z dumą na przyjaciela.

– A ja grałem w hokeja! – zawołał Bodzio. – Sam na całą drużynę! I wygrałem ze Stanami Zjednoczonymi!

– Co? To chyba niemożliwe. – Wychowawczyni spojrzała na niego podejrzliwie.

– Możliwe, możliwe… – odparł niechętnie Pulpet. – Stany Zjednoczone są słabe. Trudniej byłoby wygrać z Kanadą.

– Wygrałem i z Kanadą! – zaperzył się Bodzio. – Dwa razy!

Pani Troć patrzyła na nich szeroko otwartymi oczami.

– Ale na nartach skakać nie umiesz! – zasapał Pulpet. – Ja pobiłem trzy rekordy na dużej skoczni, a na mamuciej zwyciężyłem nawet z Małyszem!

– Bo oszukiwałeś! – wrzasnął Bodzio.

– Nieprawda!

Tak to rozmowa o sportach zimowych doprowadziła do dyscypliny niekojarzącej się z zimą – do zapasów. Po kilku minutach zawodnicy zostali rozdzieleni, uciszeni i postawieni w przeciwległych kątach sali, a pani Troć zrozumiała, że ferie należą do odległej przeszłości.

– Gdzie biliście te wszystkie rekordy? – westchnęła, zerkając na poturbowanych sportowców. – W Polsce czy za granicą?

– W Polsce, w Polsce... – Pulpet wzruszył ramionami.

– W Warszawie – dodał Bodzio.

– Na Chomiczówce – uzupełnił Pulpet.

Pani Troć coś zaczęło świtać.

– A dokładniej? – naciskała.

– A dokładniej – mruknęli Bodzio i Pulpet – to przed komputerem.

SUSHI
prosto z doniczki

Pani Troć podzieliła klasę na grupy, a potem każdą grupę obarczyła jakimś zadaniem. Bodzio i Pulpet odetchnęli z ulgą. Obawiali się, że będą musieli przez najbliższe półrocze redagować gazetkę szkolną albo

sprzątać salę po zajęciach plastycznych – na szczęście przypadła im w udziale opieka nad klasowymi
roślinkami. Łatwizna!

– Na parapetach jest sześć doniczek – policzył szybko Bodzio.

– I jedna, największa, w rogu sali – uzupełnił Pulpet. – Za biurkiem.

– Czyli siedem roślin – podsumował Bodzio. – A co
ze sprzętem?

– Litrowa konewka, dwie plastikowe butelki i grab-
ki – wyrecytował Pulpet, zerkając w kąt przy kalo-
ryferze.

– Żadnego sekatora? – Pulpet się skrzywił. – Albo
chociaż rozpylacza?

– Jakiego rozpylacza?

– Takiego jak pistolet na wodę – wyjaśnił Bodzio. –
Ale z trucizną na szkodniki.

Pulpet z żalem pokręcił głową. Ani sekatora, ani
rozpylacza. Szkoda! Inna sprawa, że słowo „szkod-
nik" bardziej kojarzyło mu się z kolegami niż z owa-
dami. Pani Troć zapewne nie wyraziłaby zgody na
wytępienie połowy klasy...

– Nic to! – Bodzio odzyskał trochę animuszu. – Z konewką też może być niezła zabawa. Zobaczysz!

Słowa te okazały się prorocze. Nie było lekcji, na której chłopcy nie podlewaliby roślin. Ledwo któryś nauczyciel sięgnął po dziennik, już biegli do łazienki po wodę – a robili to z taką gorliwością (i w takim tempie), że rzadko doganiały ich wzywające do powrotu okrzyki. O dziwo, droga z klasy do łazienki zazwyczaj okazywała się krótsza niż powrotna. Bodzio i Pulpet, wyraźnie zaaferowani obowiązkami, błąkali się po całej szkole, szukając właściwej sali – a ich trasę znaczyły wijące się po wszystkich piętrach, od parteru po strych, mokre ślady na posadzce. Często gdy po długich poszukiwaniach odnajdywali wresz-

cie swoją klasę, okazywało się, że woda w konewce wychlapała się niemal całkowicie – i znowu należało ruszyć do łazienki. Świetna zabawa!

Pani woźna nie była jednak zachwycona obowiązkowością Bodzia i Pulpeta.

– Proszę bardzo, oo, tutaj... – Wskazywała mokry parkiet. – Tutaj, tam, wszędzie! Niedługo te deski zaczną gnić!

– Przecież są polakierowane... – próbowała oponować pani Troć. – Wystarczy wytrzeć.

– To niech wycierają! – prychnęła pani woźna. – Bo kiedyś ktoś się pośliźnie, upadnie i będzie nieszczęście! A widziała pani te biedne kwiatki? W jakim są stanie?

Pani Troć się zawahała. Niby widywała kwiatki każdego dnia, ale jakoś nie zwracała na nie uwagi. Przeprosiła więc panią woźną, obiecała, że porozmawia z Bodziem i Pulpetem, potem zaś pognała do klasy. A tam – niestety...

– Chłopcy, mogę was prosić? – wykrztusiła, nie odrywając wzroku od doniczek. – Co to jest?

– To? – upewnił się Bodzio.

– To.

– W doniczce?

– W doniczce!

Bodzio i Pulpet wymienili spojrzenia.

– To się jeszcze zobaczy – powiedział Bodzio.

– Słucham?

– Się zobaczy – poparł kolegę Pulpet. – Coś wykiełkuje i dopiero wtedy będziemy wiedzieli co. A na
razie... – Rozłożył bezradnie ręce.

– Wykiełkuje?! – krzyknęła pani Troć.

– W tej brudnej wodzie?! Niby co?!

– Na przykład ryż – odparł urażony
Bodzio.

– Albo jadalne algi – dodał Pulpet. – Lubi pani
sushi?

– Sushi?! – Pani Troć
złapała się za głowę. –
Dobrze, że nie hodujecie
tu ryb!

– Ooo, i tu się pani myli. – Bodzio poczuł się dotknięty. – Ryby wpuściliśmy do doniczki po fikusie.

– A tu, za pani biurkiem, jest hodowla żab. – Pulpet podszedł do ubłoconej donicy. – Może pani woli kuchnię francuską?

Kijanki wbiły w panią Troć pełne wyrzutu spojrzenia. Teoretycznie miała dwa wyjścia: potwierdzić lub zaprzeczyć. Ale wybrała trzecie – zemdlała. Dzięki czemu mogła śnić, że jest żabą i nigdy nie spotka ani Bodzia, ani Pulpeta!

Na czym polega impreza składkowa? Na tym, że dzieci przynoszą klocki i razem je składają. Tyle tylko że Pulpet nigdy nie pozwala bawić się swoimi.

– Zrobimy miasto – próbowali przekonać go Bodzio, Bąbel i pozostali. – Wieżowce, parkingi, szpitale.

– Sam sobie zbuduję miasto – odpowiedział Pulpet.

Po czym usiadł w kącie i zabrał się do pracy.

Godzinę później Bodzio, Bąbel i pozostali kończyli rozbudowę nowoczesnego centrum. Pulpet kończył domek i stodołę – na więcej nie starczyło mu klocków.

– Miałeś zbudować miasto – zdziwił się Bodzio.

– A wyszła wieś – zauważył Bąbel.

– Bo to taka podmiejska rezydencja – mruknął Pulpet.

Chłopcy spojrzeli na siebie porozumiewawczo.

– Więc może połączysz ją z naszym miastem? – zasugerował Bodzio.

– Dobra – wydukał zaczerwieniony Pulpet.

A potem rozebrał stodołę, zbudował drogę – i powstało miasto, że ho, ho!

REMIS

Boisko mokło w deszczu. Chłopcy stali ze smętnymi minami pod zadaszonym wejściem do sali gimnastycznej. Ciemne chmury uwięzły nad Chomiczówką. Z rozprutych obłoków lały się strumienie wody. Pulpet popatrzył ponuro na kolegów. Z meczu nici. Przyszło zaledwie pięć osób. No, chyba że Bodzio coś wymyśli. Miał się skontaktować ze znajomymi.

– Nic z tego... – mruknął któryś z kolegów. – Dzwoniliśmy już prawie do wszystkich.

– Ale Bodzio chciał zadzwonić do... takich dalszych znajomych – mruknął Pulpet. – Obcych.

– Obcych? – zaniepokoił się któryś z piłkarzy. – Mama nie będzie zadowolona.

– Ale nie do takich obcych – próbował wyjaśnić Pulpet. – Tylko do prawdziwych. Rozumiecie?

Miny chłopców świadczyły, że nie, nie rozumieją.

– Dobra, sami zobaczycie. – Pulpet machnął ręką. – Zresztą idzie Bodzio, może wam wytłumaczy...

Nie było czasu na tłumaczenia. Wprawdzie Obcy nigdy wcześniej nie grali w futbol, lecz przyjęli propozycję z radością. Należało przygotować się do meczu. Mimo deszczu chłopcy ochoczo wybiegli na boisko i w ramach rozgrzewki zaczęli ganiać za napuchniętą od wilgoci piłką.

– Kiedy tu będą? – zapytał Pulpet.

– Już są... – odparł Bodzio, nie odrywając wzroku od tekturowej tablicy z napisem

„ZIEMIANIE – OBCY". Właśnie kończył obrysowywać długopisem ramkę na wynik.

– Gdzie? – Pulpet rozejrzał się dookoła.

– Tam. – Bodzio wskazał kąt boiska. – Oraz tam, tam i tam. Sporo ich, bo przyjechali z kibicami.

Pulpet przełknął ślinę. Bodzio, wyraźnie zadowolony z siebie, ustawił tekturową tablicę na okiennym gzymsie, pod daszkiem.

– Jak im wytłumaczysz, że piłki nie można łapać w ręce? – dociekał Pulpet.

– Nie mają rąk!

– Nóg też nie mają – zauważył Pulpet. – Więc jakim cudem zagrają w piłkę nożną? Ba, nic nie mają! Gra główką też odpada.

– Nie narzekaj, dobra?! – zasapał Bodzio. – Chcieliście, żebym sprowadził kolegów, to sprowadziłem!

– Ale oni wyglądają jak zwykłe kałuże!

– Wygrać z kałużą to też sztuka!

Okazało się to prawdą.

Obcy nie byli zbyt szybcy, ale świetnie gra-li w obronie. Przechwytywali prawie każdą piłkę, blokowali dostęp do bramki i potrafi-li sprytnie skołować ziemskich zawodników. Co chwila któryś z chłopców padał z głośnym pluskiem na zmoczoną murawę. Mecz zakoń-czył się bezbramkowym remisem.

– Nie było źle – pocieszał Bodzio. – Na-stępnym razem wygramy!

– Beze mnie – wysapał Pulpet, wykręcając ciężką od wody bluzę.

– No nie wygłupiaj się! – Bodzio zerknął za siebie i ściszył głos. – Zamierzam namó-wić ich na siatkówkę!

"Prze...! przepraszam

Tylko jedna osoba mogła pomóc Bodziowi i Pulpetowi – pan Antoś, dzielnicowa złota rączka.

– Precz! – wykrzyknął na ich widok.

– Ależ panie Antosiu... – Bodzio rozejrzał się dookoła wyraźnie zmieszany. Przerobiony z blaszanego garażu warsztat stał nieopodal strumyka; wprawdzie rzadko przechodzili tędy spacerowicze, czasami jednak to się zdarzało, a Bodzio wolałby uniknąć ich zaciekawionych spojrzeń.

– Precz, powiedziałem! – ryknął pan Antoś. – Bo poszczuję psami!

– Pan nie ma psa – zauważył Pulpet.

Choć powinien był ugryźć się w język. Pan Antoś odsunął od siebie rozbebeszony silnik, chwycił leżącą pod stołem zmiotkę i cisnął nią w naszych bohaterów.

– Dostałeś! – zachichotał Bodzio, patrząc na trzymającego się za nos Pulpeta.

– Ty też… – wystękał chwilę później Pulpet, podążając wzrokiem za lecącą w stronę Bodzia szufelką.

Pan Antoś zarechotał i zamknął się od środka. Przez szparę pod drzwiami zobaczyli, że zapala wewnątrz światło. Potem włączył przeraźliwie szumiące radio i nie zważając na trzaski i zakłócenia, zaczął podśpiewywać coś pod nosem.

– Gratuluję! – Bodzio spojrzał z wyrzutem na Pulpeta. – Musiałeś go drażnić?!

– Ja go drażniłem?!

– A kto wypomniał, że pan Antoś nie ma psa?!

– A kto wczoraj wrzeszczał: „Antoni nas goni"?!

– A kto przedwczoraj skandował: „Antoni do broni"?!

– A kto tydzień temu poraził go prądem?!

Bodzia zatkało z oburzenia.

– Dobrze wiesz, że to był wypadek – wykrztusił wreszcie. – Chciałem zamontować na dachu blaszaka antenę, żeby skontaktować się z Obcymi!

– Ale ta antena była zrobiona z piorunochronu! – przypomniał Pulpet.

– Ale nic się panu Antosiowi nie stało!

– Ale świecił przez prawie cztery dni!

Stali naprzeciwko siebie jak rewolwerowcy – posapując groźnie i wytrzeszczając oczy. Pierwszy znudził się Pulpet. Ziewnął szeroko i spojrzał na prześwitującą pod drzwiami jasną smugę.

– Co robimy? – zapytał.

Bodzio wzruszył ramionami, lecz i on miał już dosyć kłótni. Podszedł do blaszaka i zastukał.

– Precz! – wrzasnął ze środka pan Antoś.

– Panie Antosiu, litości! – jęknął Bodzio. – Wychowawczyni kazała nam tu przyjść!

– Żeby mnie usmażyć, jak wtedy?!

Bodzio i Pulpet wymienili spojrzenia.

– Żeby pana przeprosić! – krzyknął Pulpet.

Hałasy wewnątrz blaszaka ucichły. Po chwili ze środka dobiegło szuranie i drzwi się lekko uchyliły.

– Przeprosić?... – Zdumiony pan Antoś wystawił na zewnątrz głowę.

– Aha – przytaknął Bodzio. –
Takie zadanie. Przeprosić osobę,
której się ostatnio szczególnie dopiekło.

– Dobra, przeprosiliście, więc idźcie
precz – powiedział udobruchany pan Antoś.

– A podpisze pan w dzienniczkach, że
przeprosiliśmy?

Pan Antoś podpisał, co trzeba, i za-
trzasnął drzwi.

– Myślałem, że będzie gorzej – wyznał
Pulpet.

– Będzie – mruknął Bodzio. – Pan
Antoś to równy gość. Ale jak przeprosić
Obcego, który wciąż tkwi w piorunochronie?!

Pulpet spochmurniał.

Właśnie, jak?!

NARESZCIE!

Nad rzekę Świder jedzie się z Warszawy nie dłużej niż godzinę, ale pani Troć, wychowawczyni Bodzia i Pulpeta, miała wrażenie, że podróż trwa całą wieczność. W autokarze było duszno, ciasno i hałaśliwie. Dzieciaki wierciły się podniecone rozpoczętymi właśnie wakacjami. Kierowca zerkał ze współczuciem na panią Troć, a pani Troć zerkała na Bodzia i Pulpeta – z niepokojem. Gdyby wiedziała, że i oni pojadą na kolonie, w życiu nie zdecydowałaby się na posadę wychowawcy.

– Długo jeszcze? – wymamrotał Bodzio.

Pulpet wzruszył ramionami. Dopóki miał co jeść, dopóty o nudzie nie było mowy. Schrupał już przygotowane na drogę bułki, a teraz pożerał batoniki i przy okazji rozglądał się z ciekawością po autokarze. Liczył na to, że któryś z berbeci cierpi na chorobę lokomocyjną. Taka choroba ma wiele zalet. Po pierwsze zawsze to miło popatrzeć, jak ktoś wymiotuje. A po drugie może uda się wyprosić od tego kogoś kanapki?

– Już dojeżdżamy – zapewniła pani Troć. – Jeszcze pięć minut.

Bodzio jęknął w odpowiedzi. Wakacje kojarzyły mu się z jednym – z kąpielą. Miał nadzieję, że od pierwszego do ostatniego dnia kolonii będą siedzieli nad rzeką, taplając się w niej, pływając i skacząc do wody na bombę. Kąpielówki włożył jeszcze w domu, przed wyjściem – żeby nie tracić czasu na miejscu. Było mu w nich trochę gorąco…

– Dobrze się czujesz? – zapytała pani Troć.

Bodzio pokiwał głową, a potem otarł spocone czoło.

– Może się trochę rozbierzesz? – Pani Troć nie ustępowała. – Albo przynajmniej coś rozepniesz?

Bodzio w milczeniu odmówił. Pulpet spojrzał na niego z ciekawością. Do tej pory szukał ofiar choroby lokomocyjnej na siedzeniach zajętych przez pierwszoi drugoklasistów, a przecież mogło się okazać, że jedna z nich siedzi tuż obok niego.

– Z czym masz kanapkę? – zapytał na wszelki wypadek.

– Yyyeeeooo… – odpowiedział Bodzio.

– Z szynką? – ucieszył się Pulpet. – Może być!

Bodzio nieznacznie rozpiął górę piankowego kombinezonu do pływania. Pożyczył go od taty. Tata zapewniał, że w takim kombinezonie Bodzio na pewno nie zmarznie. I rzeczywiście, było mu ciepło. Bardzo ciepło. To naprawdę dobry kombinezon. Trochę za duży, ale nie szkodzi – w razie czego Bodzio mógł włożyć pod spód bluzę z kapturem.

– A masz coś słodkiego? – dopytywał się Pulpet.

– Uueebłyyy… – odparł Bodzio.

– Z orzechami? – dociekał Pulpet. – Czy mleczną?

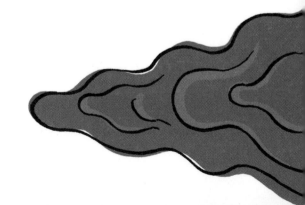

Czekolada okazała się mleczna, ale też – z powodu gorąca – pitna. Gdy Bodzio wyciągnął ją z bocznej kieszeni plecaka, tabliczka rozpłynęła mu się w palcach i skapnęła na dolną część piankowego kombinezonu.

„A mama mówiła, żebym ubrał się normalnie! – pomyślał z triumfem Bodzio. – Już by było po dżinsach. A kombinezon raz-dwa umyję".

– Błyaaauueee... – podzielił się swoją radością z Pulpetem.

Ale Pulpet był jakiś niewyraźny. Może zasmuciła go strata czekolady? A może po prostu Bodzio źle go widział przez zaparowaną maskę do pływania?

– Yyy? – zapytał, zdejmując okulary.

– Duszno – odpowiedział Pulpet.

– Eeeoo... – zgodził się Bodzio. Był tak mokry, jakby od dobrej godziny taplał się w rzece. Wprawiło go to w szampański nastrój. Gdyby mógł, posłałby uśmiech zestresowanej pani Troć. Trudno jednak się uśmiechać, trzymając w zębach rurkę do oddychania pod wodą. Z radością wyjrzał przez okno. Nareszcie wakacje!

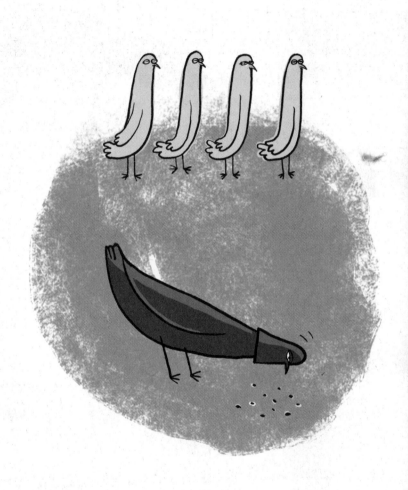

SPIS TREŚCI

GRZEGORZ KASDEPKE

Najchętniej czytany polski autor książek dla dzieci. Niemal wszystkie z ponad jego czterdziestu tytułów uzyskały status bestsellera (m.in. *Kacperiada…* czy *Horror, czyli skąd się biorą dzieci*). Sympatię czytelników łączy z uznaniem krytyków, czego dowodem są najważniejsze nagrody, jakie zdobył za swoją twórczość dla najmłodszych (w tym: Nagrodę Literacką im. Kornela Makuszyńskiego, dwukrotnie nagrodę Edukacja XXI, Nagrodę BETA, Nagrodę im. Kallimacha, Nagrodę Stowarzyszenia Autorów ZAiKS i inne). Jego książki weszły na listę lektur szkolnych, a Fundacja „ABCXXI – Cała Polska czyta dzieciom" uznała *Detektywa Pozytywkę* za jedną z dziesięciu najlepszych książek dla dzieci minionej dekady.

DANIEL DE LATOUR

Ilustruje książki i czasopisma dla mniejszych i większych, rysuje komiksy, uczy się grać na skrzypcach od wiejskich muzykantów. Otrzymał wiele nagród, takich jak Przecinek i Kropka (za ilustracje do *Niesamowitych przygód dziesięciu skarpetek* Justyny Bednarek oraz do *Domu nie z tej ziemi* Małgorzaty Strękowskiej-Zaremby) czy Nagroda Literacka Miasta Stołecznego Warszawy (również za *Niesamowite przygody dziesięciu skarpetek*). Dwukrotnie nominowano go w konkursie Polskiej Sekcji IBBY Książka Roku (za ilustracje do *Wyprawy do kraju księcia Marginała* Henryka Bardijewskiego oraz do *Zaskórniaków i innych dziwadeł z krainy portfela* Grzegorza Kasdepke i Ryszarda Petru). Jego *Zaskórniaki* wyróżniono także w konkursie Polskiego Towarzystwa Wydawców Książek Najpiękniejsze Książki Roku.

W serii Poczytam Ci mamo

Zaczęły się wakacje. Lenka nie mogła się już na nie doczekać. Jednak Antek, jej najlepszy przyjaciel i sąsiad, nie jest zachwycony. W odwiedziny przyjeżdża do niego daleki kuzyn. Albert jest paskudny, no po prostu nie do wytrzymania... I co tu zrobić? Wyprowadzić się do Lenki, a może do domku na drzewie? Jednak rodzice się na to nie zgadzają, ale najgorsze, że Albert tak świetnie udaje miłego chłopca...

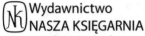
Wydawnictwo
NASZA KSIĘGARNIA
www.naszaksiegarnia.pl

02-868 Warszawa, ul. Sarabandy 24c
tel. 22 643 93 89, 22 331 91 49, faks 22 643 70 28
e-mail: naszaksiegarnia@nk.com.pl

Dział Handlowy
tel. 22 331 91 55, tel./faks 22 643 64 42
Sprzedaż wysyłkowa: tel. 22 641 56 32
e-mail: sklep.wysylkowy@nk.com.pl   **www.nk.com.pl**

*Książkę wydrukowano na papierze
Lux Cream 90 g/m² wol. 1,8.*

ZiNG

Redaktor prowadzący *Katarzyna Piętka*
Redakcja *Magdalena Korobkiewicz*
Redakcja techniczna, DTP *Agnieszka Czubaszek-Matulka*

ISBN 978-83-10-13354-0

PRINTED IN POLAND

Wydawnictwo „Nasza Księgarnia", Warszawa 2018 r.
Wydanie drugie
Druk: EDICA Sp. z o.o., Poznań